'S ann le

....

a tha an leabhar seo.

Durachdan
gayle Clarke

A' chiad chlò sa Ghàidhlig ann an 2015 le Wee Mackay Publishing
21 Kessington Square, Cille Phàdraig Ùr, Glaschu G61 2QQ

A' chiad chlò sa Bheurla fon ainm *Monty's Big Surprise!* ann an 2011
le Wee Mackay Publishing

ISBN: 978-0-9570946-2-8

Eadar-theangachadh Gàidhlig: Mìcheal Hill
Le taing do Chatriona Mhoireach airson a beachdan

Dealbhan le Martin Teviotdale
www.teviotdale-illustration.co.uk

Foillsichte ann am Breatainn

www.weemackaypublishing.co.uk

Chuidich Comhairle nan Leabhraichean am
foillsichear le cosgaisean an leabhair seo.

Montaidh an Cù Glic

Le Gayle Clarke

Dealbhan le Martin Teviotdale

Eadar-theangachadh le Mìcheal Hill

Taigh-foillseachaidh: Wee Mackay Publishing

B' e latha grianach, teth a bh' ann air Tuathanas na Craoibh-shiris. Bha Montaidh – an cù dailmèisean le spotan gu math mòr – na laighe air a dhruim, le aon chas shuas san adhar, a' cumail a bhrù socair. Bha e a' smaointinn gur e cù gu math glic a bh' ann ach bha e daonnan ri mì-mhodh air choreigin.

"Dè nì mi an-diugh?" thuirt e ris fhèin. "Tha fios agamsa; thèid mi a chèilidh air na beathaichean eile air an tuathanas, feuch a bheil iad cho glic riumsa."

Dh'fhosgail e crann a' gheata le fhiaclan agus ruith e tarsainn an achaidh gus faicinn cò bha timcheall.

An toiseach, choinnich e ri Peadar, pònaidh Sealtainneach, dubh agus geal.

"Madainn mhath, a Pheadair, a phònaidh," arsa Montaidh.

"Madainn mhath, a Mhontaidh. Ach, a Mhontaidh, nach eil fios agad nach e pònaidh a th' annamsa. 'S e cù a th' annam, coltach riut fhèin. Tha mi dubh agus geal agus tha earball orm. Mar sin, feumaidh gur e cù a th' annam."

"Chan e cù a th' annad," arsa Montaidh. "'S e pònaidh breac a th' annad." "A Mhontaidh," dh'èigh e. "Chan e breac a th' annam; agus cha toigh leam fiù 's iasg," agus dh'fhalbh e gu diombach.

"Ò," arsa Montaidh, "'s e each gu math
amaideach a th' annad." Agus thog e air
airson faighinn a-mach an robh duine
sam bith eile cho glic ris-san.

9

Dh'fheuch Montaidh ri faighinn tro bheàrn san fheansa, ach bha a bhrù ro mhòr agus steig e innte. Bha Beileag, a' bhò dhonn, Dheàrsaidheach, a' coimhead air tro ruisg fhada mar shìoda agus sùilean bog, donn.

"Madainn mhath, a Bheileag, a bhò," arsa Montaidh.

"Madainn mhath, a Mhontaidh," arsa Beileag, "ach, a Mhontaidh, chan e bò a th' annamsa; 's e each a th' annam. Tha bian donn orm. Mar sin, feumaidh gur e each a th' annam."

"Ò," arsa Montaidh, agus e ga tharraing fhèin a-mach às an fheansa le uiread de neart 's gun do rinn e car-a-mhuiltein, casan thairis air a cheann. "'S e mò-ag gu math gòrach a th' annad!" Agus thog e air airson faighinn a-mach an robh duine sam bith eile cho glic ris-san.

Sheall Montaidh air taobh thall an lochain agus chunnaic e Steallag, an tunnag.

"Madainn mhath, a Steallag, a thunnag."

"Madainn mhath, a Mhontaidh," arsa Steallag. "Ach, a Mhontaidh, chan e tunnag a th' annamsa; 's e losgann a th' annam. Tha spògan snàmh orm. Mar sin, feumaidh gur e losgann a th' annam."

"Ò," arsa Montaidh. "'S e guàg-guàg ghòrach a th' annad." Agus thog e air airson faighinn a-mach an robh duine sam bith eile cho glic ris-san.

Aig taobh thall an uisge dheàlraich, lorg e Eilidh an eala.
"Madainn mhath, Eilidh eala," arsa Montaidh.
"Madainn mhath, a Mhontaidh," arsa Eilidh. "Ach, a
Mhontaidh, chan e eala a th' annamsa. 'S e sioraf a th'
annam, a chionn tha m' amhach gu math fada."
"Ò," arsa Montaidh. "'S e eun gu math èibhinn a th'
annad!" Agus thog e air airson faighinn a-mach an robh
duine sam bith eile cho glic ris-san.

"Chan eil seo math idir," shaoil Montaidh. "Tha iad uile gòrach! Chan eil beathach sam bith air an tuathanas seo cho glic riumsa." Agus ruith e air ais don taigh-tuathanais. Dìreach an uair sin, thàinig an tuathanach sa chàr. Sheall Montaidh air, agus e a' toirt pocannan flùir far na truga.

Gu h-obann, mhothaich Montaidh
gun robh na beathaichean eile nan
deann ruith, a' tighinn ga ionnsaigh.
A h-uile gin làn feirg, bha u i o
hòmh, mò mò, mhàg mhàg agus
guileag guileag ri chluinntinn air
feadh an àite.

"Fhuair sin ar leòr dhìot, agus tu a' smuaintinn gu bheil thu cho glic," arsa Peadar. "Tha sinn an seo airson leasan a thoirt dhut." Ruith iad a-null gu Montaidh, aig a' cheart uair 's a bha an tuathanach a' giùlan a' phoca mu dheireadh de fhlùr don taigh-stòrais.

Mo chreach! Bhuail na beathaichean anns an tuathanach. Sgàin am poca agus spreadh am flùr suas dhan adhar, gan còmhdachadh uile mar sgòth gheal. "Seall a-nis, a Mhontaidh, a choin!" thuirt iad uile còmhla. "'S e do choire-sa a th' ann gu bheil sinn anns an staing seo!"

"Obh, obh," arsa Montaidh. "Tha mi duilich gun tuirt mi gun robh sibh gòrach. Ach... chan e cù a th' annamsa. 'S e mathan bàn a th' annam. Feumaidh gur e mathan bàn a th' annam, oir tha mi bàn."

Agus chaidh iad air ais do na h-achaidhean, a'
gàireachdainn aig àird an claiginn, is iad uile a'
faireachdainn gu math glic.

An Deireadh

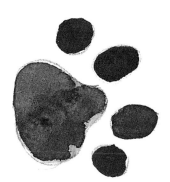